★ ★ ★ ★ ★

我不怕打雷

据［法］克利斯提昂·约里波瓦同名绘本动画片改编

郑迪蔚 / 编译

21 二十一世纪出版社
21st Century Publishing House
全国百佳出版社

下蛋，下蛋，总是下蛋！
生活中肯定有比下蛋更好玩的事情！
我要去放风筝……

盛夏的午后，小鸡们来到河边钓鱼。

"卡梅利多，你听河里的青蛙叫得真欢，太闹腾了，咱们到别处钓鱼吧？"小凯丽不耐烦地从草地上坐起来。

"嘘——小凯丽，鱼就要上钩了！"

小胖墩和大嗓门全然不理会蛙鸣，在独木桥上比赛走平衡木。

"谁先掉到水里就得把小虫子交出来！"

"啊！有雨点落在我的鼻子上……"痘痘妹突然跳起来大喊，"我最讨厌被淋湿了！"

卡梅利多和卡门被她突如其来的喊叫声吓得松开了手中的钓鱼竿，眼看就要上钩的鱼也不见了踪影。

"啊！"大嗓门一不留神摔到了河里。

"哈哈！我赢啦！虫子都归我，哦耶！"

小胖墩兴奋地在独木桥上跳跃，忽然脚下一滑也跌进了河里……

"痘痘妹，你没事吧，这大晴天哪儿来的雨点？就算有雨点，你也不要大喊大叫，会把卡卡吵醒的。"

小凯丽每次教育起痘痘妹都会说个不停："什么时候你才能学得稳重一点……"

"非常感谢，痘痘妹！我们虽没被雨淋到，但也都浑身湿透了！"大嗓门气得在河里大喊。

正在这时，贝里奥在石桥上呼喊：

"卡梅利多，你妈妈叫你们赶快回家！天气预报说暴风雨就要来了！"

转瞬间，乌云密布，天崩地裂的雷声在空中回响。豆大的雨点倾盆一般压了下来……

"快进屋，孩子们！小心雷击。"皮迪克站在鸡舍门口招呼这几个贪玩的调皮鬼。

雨水很快打湿了草坪。

"啊！"小凯丽脚下一滑，摔了出去……

"小凯丽！当心！"卡梅利多回头一看，小凯丽的头已重重地撞在木桶上，昏了过去……

"我来了！"卡梅利多毫不犹豫
冒着大雨跑过去救小凯丽。

"打雷了！赶快趴
在地上，别动！"皮迪
克急得大喊。

"快起来，小凯丽，抓住我的手！"
"谢谢你，卡梅利多。"

13

"算你们运气好，没被烧焦
屁股！打雷的时候，不要在室外逗留！
闪电先劈站得最高的，懂不懂？"
公鸡爷爷急得教训小鸡们。

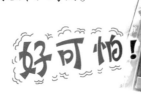

"没错！我曾看见过一艘船上
的桅杆一眨眼工夫就被劈焦了！热带风暴可不是闹着玩的，
非常可怕！所有的东西都会被
烧焦、摧毁！懂了吧，绝
不是什么放个小烟花那
么好玩的事！"鸬鹚佩
罗很严肃地警告。

屋外电闪雷鸣，雨势越来越大，屋顶被雨点敲打着，哗哗作响，好像随时都有可能给砸穿了……

"孩子们，不必惊慌！我们的老房子经历过比这还大的暴风雨！"

"你们两个小家伙别害怕，雷暴一会儿就过去了……"

天哪！

"……咦，卡卡呢？我的天哪！卡卡不见了！"卡门惊慌地大喊。

"卡卡不是跟你们一起出去玩的吗？"

"对不起，妈妈！我们把窝都翻遍了！卡卡可能还在树下睡觉……"

"多好的天，食物就在眼前，你们知道该怎么做吧?！"

"明白，头儿。第一步，跳到他跟前！"

田鼠克拉拉说着跳出了灌木丛，"第二步，把他烧烤了！"

田鼠克拉拉悄悄地匍匐前进。

"头儿说，打雷下雨时爬行才安全，听他的没错，一切平安！幸运伴随我……第三步，我要干什么？"

小心！

"等等我！"贝里奥也跟着跑出鸡舍去找卡卡。

哎哟！

嗨！

"对了，第三步，把他吃了！头儿，能把鸡冠留给我吗？"

快点！

"头儿，克拉拉遭雷劈了！"

"我成功了！现在该做什么，头儿？"满脸乌黑的田鼠克拉拉从草丛中冒出头。

普老大急得直挥手："嘘——小声点！你就像刚才一样爬回来！"

"头儿，快看！我们的运气真好，又有食物送上门了！"田鼠细尾巴坏笑道。

就在这时，三个小伙伴来到了卡卡原先睡觉的大树下。

呜呜呜……

卡卡!

"呜呜呜,卡卡连尸骨都不见啦!"贝里奥看到被雷劈焦的草地,大哭起来。

卡卡!

"说什么蠢话,他可能是害怕打雷跑走了。这样吧,来,我们四处找找!"

卡梅利多急得到处呼喊:"卡卡!你在哪儿?"

卧倒！

22

　　突然，卡梅利多隐约感到头顶上有东西降下，以为又是打雷，赶紧将卡门和贝里奥扑倒在地。等了一会儿，不见任何动静，原来是一个红风筝飘过。

23

"在这种天气放风筝的人一定是疯了，咱们看看去！"

贝里奥却有些犹豫，"公鸡爷爷不让咱们走远，而且随时都会打雷……"

"没准能有卡卡的消息，不能放弃寻找，走吧！"

"今晚咱们可以吃大餐了！跟上他们。"田鼠普老大命令同伙。

"但所有的木头都被雨淋湿了，没法生火做饭怎么办？"田鼠细尾巴直犯愁。

呼噜!
z z z

"我知道,我知道!"田鼠克拉拉举手抢答,"咱们回到刚才打雷的地方,然后站在下面,我将鸡举到空中。啪! 一下就被雷劈成烤鸡!"

"克拉拉,你终于聪明了一次!"田鼠细尾巴惊异于他的创意,"这活儿就交给你了。"

田鼠克拉拉得意地举着小鸡卡卡往回走。

"你睡得可真香,这样吧,等我找到闪电再把你举过去。"他自作聪明地把卡卡放在灌木丛下。

原来是个小男孩在放风筝。

"总算追上你了……"三个小伙伴气喘吁吁。

"记住！雷电非常危险！你们看，如果闪电击中了
树木，就会引起火灾！"

"嘿，危险！站住！"卡门在后面喊。

"嘿，你们雷雨天别乱跑，赶快回家！"
小男孩边放风筝边教育他们。

"请问，你见到过一只黄色的小鸡吗？
他是我们的小兄弟，叫卡卡。"卡梅利多问。
"哦，没有，我什么人也没见到。"
"那你也别放风筝了，
赶快回家吧。"卡门劝道。

28

"哈哈！这可不行，况且我可不是在放风筝！忘了自我介绍，我叫本杰明·富兰克林，发明家！"

小男孩指着手中的绳子讲解，"这是我最近研究的一项科学实验……"

卡卡！

"我们还要寻找弟弟，你先忙吧。"卡门没等富兰克林解释完就走了。

她不想耽误时间，继续呼喊："卡卡，你在哪里？"

"科学实验是什么？"卡梅利多好奇地问。

"你看，风筝的下面有把钥匙，现在我把钥匙插在地上……"

"……如果铜钥匙被击中，那就说明雷是带电的！这就是我想验证的！"

咔嚓！

31

"现在，电被直接引到地下，这样既不会击中树木，又不会伤到人！重大发现！哈哈，我的实验成功了！"

"那个疯子在干什么，头儿？用那个东西的话，是不是就不需要我举着小鸡等雷劈了？"克拉拉吃惊地张大了嘴。

"为了确保这次不失手！你去偷风筝，然后把小鸡捆在下面，等闪电一来，啪！烤鸡就成了！"

"太恐怖了，雷劈到地里了！"贝里奥吓得一跃而起，不辨方向地朝前跑去。

"贝里奥，站住！快趴下，小心你的羊毛被劈成爆炸式！"卡梅利多急得在后面喊道。

"别追了，他只要一被吓到，就会跑上好几个小时！"卡门冷静地说。

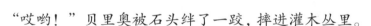

"哎哟！"贝里奥被石头绊了一跤，摔进灌木丛里。

“嘿！卡门，看我找到
了谁！”

贝里奥兴奋地从灌木丛
中举起走失的卡卡。

“你看他还在睡觉！”卡门吃惊地看着熟睡的卡卡。

“他是怎么跑到这儿来
的？梦游吗？”

卡梅利多百思不得其解。

"头儿，风筝到手了，你能去把小鸡取来吗？就在那边的灌木丛里，我看他睡得那么香，不想吵醒……"

"你这个笨蛋！功亏一篑啊！"
田鼠普老大气得直拍脑门，"赶快松开绳子！"

晕！

呼噜！

"看，闪电又来了！"富兰克林指向空中……
突然，他看到风筝被一只田鼠拿在手中。

嗯？

"头儿，我感觉不妙……如果我松
开绳子，是不是就没有烤鸡吃了？"

"可恶的小偷！你可能喜欢放风筝，但我更喜欢触电的田鼠。"

一道闪电劈了下来……

"我见过贪睡的，但没见过他这样的瞌睡虫。你确定卡卡没生病吗，卡梅拉？"公鸡爷爷忧虑地说。

"卡卡就是这样，他一睡着，连做梦也是在睡觉……"

"大家快出来看看！富兰克林又要做实验了。"

"这就是我的发明——避雷针！"

富兰克林请卡门帮他做示范："有了它，你们的鸡舍就永保平安，再也不怕打雷了！"

"见证奇迹的时刻就要到了，大家不用担心，回去站好，好戏就要开演了！"

随着一声响彻天空的雷鸣，咔嚓！电流顺着风筝的导线被引到了地下，眼看就要被劈到的鸡舍屋顶居然安然无恙……

"哇！真棒！"

"我们从此以后安全了。"

"发明家的脑子就是好使，用一根绳子就把闪电搞定了。"

暴风雨过去了，小胖墩想起之前的游戏，说："大嗓门，什么时候把你输的青虫给我？你可别耍赖！"

刺猬兄弟坐在墙头看热闹。

"我挺喜欢那个小鸡造型的风筝。皮克，什么时候我们也做一个飞翔的刺猬？"

"如果你想被雷劈的话！"

"安静点！还让不让人睡觉?!"卡卡睡醒了，站在门口非常不满，"打雷天站在室外很危险，还不赶快进屋！"

哈哈！

如果本杰明·富兰克林使用的是一根金属丝而不是普通的绳子来做实验，他的下场可能就和田鼠克拉拉一样惨了！

1752 年，富兰克林在费城进行了震动世界的实验，也就是书中提到的"风筝实验"，以证明"雷电"是由电力造成。这是一项非常危险的实验，曾有科学家在进行类似的实验时被电击致命，因此，至今仍有人对于实验的真实性心存疑虑。但没有争议的是富兰克林发明了避雷针，这项发明不仅可以预防雷电导致的严重灾害，同时也破除了迷信，消除了人们对雷电的恐惧。正电、负电的概念以及电荷守恒定律也是富兰克林最早提出的。

你知道吗？百元美钞（1988 版、1996 版）正面不是总统，而是富兰克林的肖像，他有一长串的头衔——作家、发明家、科学家、外交家、社会活动家、哲学家、思想家……有人评价他是 18 世纪仅次于华盛顿的名人。

本杰明·富兰克林
（Benjamin Franklin,1706 年—1790 年）

你知道富兰克林还有哪些发明吗？

不一样的卡梅拉

卡梅拉笔记本

D'après la collection de livres de Ch. Heinrich et Ch. Jolibois © Pocket Jeunesse. D'après la série animée
réalisée par JL François – bible littéraire M. Locatelli & P. Regnard © Blue Spirit Animation / Be Films
Titre de l'épisode « Une idée du tonerre » écrit par P. Regnard
Les P'tites Poules © Blue Spirit Animation

Chinese simplified translation rights arranged with Chengdu ZhongRen Culture Communication Co.,Ltd,
本书中文版权通过成都中仁天地文化传播有限公司帮助获得

据 [法] 克利斯提昂·约里波瓦同名绘本动画片改编

图书在版编目（CIP）数据

我不怕打雷 / (法) 约里波瓦文 ;
(法) 艾利施图 ; 郑迪蔚编译.
－－ 南昌 : 二十一世纪出版社, 2014.7
（不一样的卡梅拉动漫绘本）
ISBN 978-7-5391-9866-8

Ⅰ. ①我… Ⅱ. ①约… ②艾… ③郑…
Ⅲ. ①动画—连环画—法国—现代
Ⅳ. ①J238.7

中国版本图书馆CIP数据核字(2014)第140970号

版权合同登记号 14-2012-443
赣版权登字—04—2014—466

我不怕打雷　　郑迪蔚 / 编译

策　划	奥苗文化　郑迪蔚	
责任编辑	黄　震　　陈静瑶	
制　作	敖　翔	
出版发行	二十一世纪出版社	
	www.21cccc.com　cc21@163.net	
出 版 人	张秋林	
印　刷	广州一丰印刷有限公司	
版　次	2014年7月第1版　2014年7月第1次印刷	
开　本	800mm×1250mm 1/32	
印　张	1.5	
书　号	ISBN 978-7-5391-9866-8	
定　价	10.00元	

本社地址：江西省南昌市子安路75号　330009（如发现印装质量问题，请寄本社图书发行公司调换 0791-86512056）